Juliette

joue
avec son chat

Texte et illustrations de
Doris Lauer

Éditions Lito

Pour son anniversaire, Juliette a eu un chat. Il s'appelle Charou parce qu'il est tout roux. Mais parfois, elle lui dit Bidou ou Voyou quand il fait le fou.

Juliette adore s'amuser avec son chat. Elle lui lance sa gomme-dinosaure et Charou court, saute... et zoup! dérape sur le tapis. Juliette se tord de rire.

Juliette remplit l'écuelle de Charou avec ses corn flakes et lui dit :
- Il faut que tu manges ça, c'est bon pour avoir de gros muscles, comme moi, tu vois ?

toile

Juliette emmène son chat faire
un tour en voiture.
- Sois bien sage, mon Bidou! lui dit-elle.
Charou est content : il aime bien être
promené dans le jardin.

-Bon, Charou, maintenant je vais te chanter une chanson et t'apprendre à danser, d'accord? Da da di, da da da et youp la la! C'est chouette, non?

Mais Charou n'aime pas danser.
Il court se faufiler sous la table basse
du salon, puis sous le fauteuil...

...et enfin sous la nappe du guéridon.
Juliette proteste :
- Voyou, tu triches : on n'a pas dit
qu'on jouait à cache-cache. Reviens,
sinon je me fâche !

Finalement, Charou sort de sa cachette. Toute cette gymnastique l'a beaucoup fatigué et il s'endort comme un bébé sur le tapis... Juliette aussi.

Lito
41, rue de Verdun 94500 Champigny-sur-Marne
Imprimé en CEE
Loi n° 49-956 du 16 juillet 1949 sur les publications destinées à la jeunesse
Dépôt légal : décembre 1996